folio cadet ■ premières lectures

Le Petit Nicolas
d'après l'œuvre de René Goscinny
et Jean-Jacques Sempé

Une série animée adaptée pour la télévision par Matthieu Delaporte, Alexandre de la Patellière et Cédric Pilot / Création graphique de Pascal Valdès / Réalisée par Arnaud Bouron
D'après l'épisode « Un souvenir qu'on va chérir » écrit par Alain Vallejo.

Adaptation : Emmanuelle Lepetit

Maquette : Clément Chassagnard
Le papier de cet ouvrage est composé de fibres naturelles, renouvelables, recyclables et fabriquées à partir de bois provenant de forêts plantées et cultivées expressément pour la fabrication de la pâte à papier.
Loi n° 49-956 du 16 juillet 1949 sur les publications destinées à la jeunesse
ISBN : 978-2-07-064491-9
N° d'édition : 271565
Premier dépôt légal : février 2012
Dépôt légal : juin 2014
Imprimé en France par I.M.E.

Le Petit Nicolas

La photo de classe

GALLIMARD JEUNESSE

Le Petit Nicolas et ses copains

Maman Papa

Alceste Clotaire Eudes

La maîtresse Le Bouillon

Louisette Marie-Edwige Geoffroy Agnan

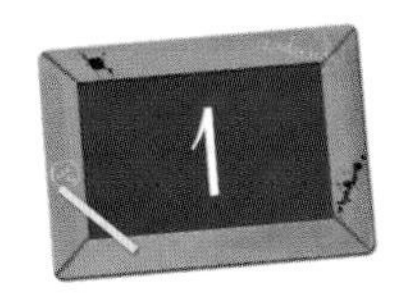

Ce matin, Nicolas sort de la salle de bains en faisant la grimace.

– Dis, M'man... T'es sûre que je suis obligé d'aller à l'école déguisé en pingouin ?

– Mais tu es très mignon avec ton costume, mon chéri ! proteste sa maman.

– C'est le jour de ta photo de classe, aujourd'hui, intervient le papa de Nicolas. Il faut que tu sois im-pec-cable !

Dans la voiture, Nicolas boude.

– Tu sais, Nicolas, dit son père, c'est rigolo, une photo de classe. Quand tu seras grand, tu pourras te souvenir de ta maîtresse et de la tête de tous tes copains…

Soudain, la voiture ralentit. Elle est coincée derrière un cycliste qui avance, en plein milieu de la rue, à la vitesse d'un escargot.

TÛÛÛT ! klaxonne le papa de Nicolas.

Surpris, le cycliste se pousse, et le papa de Nicolas le dépasse enfin.

Le cycliste a des lunettes sur le nez et un gros cartable sur son porte-bagages. « On dirait un chouchou de la maîtresse », se dit Nicolas.

Nicolas n'aime pas les chouchous, alors il lui tire la langue. Furieux, le cycliste lâche son guidon pour riposter... Mais il perd l'équilibre et se casse la figure. BADABOUM !

Dans la cour, Nicolas retrouve son copain Geoffroy qui porte une drôle de chose à plumes sur la tête...

– Salut l'autruche ! ricane Nicolas.

– Salut le pingouin ! répond Geoffroy.

– On ne va pas te reconnaître, sur la photo, avec ce machin-là sur la tête, lance Nicolas.

– Je te signale que c'est un véritable chapeau de mousquetaire, môssieur !

Nicolas s'apprête à répliquer quand, tout à coup, il aperçoit le cycliste qui pénètre dans la cour. Il n'a plus de lunettes sur le nez et son vélo est tout cabossé… De son porte-bagages dépasse le trépied d'un appareil photo.

« Zut alors, se dit Nicolas. C'est le photographe de l'école ! »

Aussitôt, Nicolas s'empare du chapeau de Geoffroy et se l'enfonce sur la tête. Il faut qu'il passe inaperçu !

– Hé ! Rends-le-moi ! se fâche Geoffroy en récupérant son chapeau.

Ses cris ont attiré l'attention du Bouillon, le surveillant de l'école, qui s'approche à grands pas.

– Geoffroy ! Qu'est-ce que c'est que ce déguisement ? Retirez-moi ce couvre-chef immédiatement !

Nicolas en profite pour se cacher derrière son copain Alceste. Celui-ci ne s'en rend même pas compte : il est occupé à manger ses tartines !

– Ouh ! là, là ! Inutile de crier si fort ! dit le photographe au Bouillon. Vous savez, on peut tout obtenir des enfants quand on leur parle gentiment. Regardez...

Le photographe déplie son matériel et annonce d'une voix mielleuse :

– Suivez-moi, mes petits. Nous allons prendre ensemble une belle photo.

Tous les garçons se précipitent vers le banc pour prendre la pose. Nicolas, lui, se fait tout petit...

Le photographe regarde à travers son objectif. Comme les enfants ne sont pas bien placés, il demande à Agnan, le chouchou, de s'installer au deuxième rang.

Mais Agnan pique sa crise :

– Moi, je suis le premier de la classe. Alors je veux être devant, à la place de Clotaire. Lui, il est nul !

Clotaire ne le prend pas très bien :

– Tu veux une baffe ?

– T'as pas le droit. Je te rappelle que j'ai des lunettes...

Le Bouillon finit par se fâcher :

– Ça suffit maintenant ! Tout le monde en place !

Aussitôt dit, aussitôt fait : le petit oiseau va enfin pouvoir sortir…

Mais, au dernier moment, Rufus se met à se tortiller.

– Mademoiselle, j'ai envie d'aller aux toilettes !

La maîtresse lève les yeux au ciel.

– Bon... vas-y. Dépêche-toi !

– Moi aussi, j'ai envie ! ajoute Eudes.

– D'accord. Et si quelqu'un d'autre doit y aller, c'est le moment, soupire la maîtresse.

Une seconde plus tard, il ne reste plus personne sur le banc... sauf Agnan !

Le photographe commence vraiment à s'impatienter...

Dans les toilettes, il y a la queue, forcé-ment. Eudes n'est pas content : Clotaire lui est passé devant.

– Sors de là ! C'était mon tour ! hurle-t-il en cognant sur la porte des toilettes.

Le Bouillon accourt aussitôt :

– Eudes ! Je vais vous punir pour dégra-dation du matériel de l'école !

Clotaire se met à pleurer :

– Au secours, je suis coincé ! La porte ne veut plus s'ouvrir.

– Eh bien, il va falloir utiliser la manière forte, dit le surveillant.

Et, d'un grand coup de pied, il enfonce la porte !

Le directeur de l'école sort de son bureau :

– Qu'est-ce que c'est que ce raffut ? Et qui s'est permis de dégrader le matériel scolaire ?

Pauvre Bouillon : il ne sait plus où se mettre...

Pendant ce temps, dans la cour, Geoffroy s'approche du photographe.

– Quel appareil utilisez-vous au juste, monsieur ?

– Eh bien, tu vois, c'est une jolie boîte d'où va sortir un petit zozio, répond le photographe comme s'il parlait à un bébé.

– Hum… il est vieux, votre engin, répond Geoffroy. Mon père, il a un Ziltron FX3 multi-écrans, avec téléobjectif, en plus.

Le photographe regarde Geoffroy avec des yeux ronds. Il a l'air de plus en plus énervé, et ça fait bien rigoler Nicolas.

– Hi, hi, hi !

– Dis donc… fait le photographe en le remarquant. C'est toi qui m'as tiré la langue ce matin dans la voiture !

Nicolas ne rit plus du tout maintenant. Il bafouille :

– Euh… m… moi ? Pas du tout, v… vous devez vous tromper…

– Ça m'étonnerait ! Regarde dans quel état sont mes lunettes, canaille ! hurle le photographe en sortant de sa poche ses lunettes fêlées.

Le Bouillon s'interpose :

– Allons, calmez-vous !

– Oh, taisez-vous ! tempête le photographe. Quand on n'a aucune autorité sur les enfants, on ne fait pas la leçon aux autres !

– Aucune autorité, moi ? aboie le Bouillon.

Plantés au milieu de la cour, les deux hommes se fusillent du regard. On se croirait dans un film de cow-boys ! Et soudain, au milieu du silence, on entend...

– Croc... scroutch... scroutch...

C'est Alceste qui est en train de manger une autre tartine !

– Alceste ! Rangez-moi ça tout de suite ! s'égosille le Bouillon, excédé.

Surpris, Alceste sursaute. Sa tartine s'envole et va atterrir... devinez où ? Sur la tête d'Agnan, évidemment !

– Ouiiiiin ! pleurniche Agnan.

– Et voilà le travail ! explose le photographe. Tout ça, c'est à cause de vous !

À ces mots, le Bouillon devient tout rouge. Il fixe le photographe d'un œil noir.

– Tu crois qu'il va lui mettre son poing dans la figure ? chuchote Eudes à Nicolas.

Le photographe doit penser la même chose car il se met à sautiller sur place comme une puce.

– Je vous préviens, j'ai fait de la boxe ! crie-t-il.

À ce moment, le Bouillon ramasse la tartine d'Alceste et la lance de toutes ses forces vers le photographe.

Le problème, c'est que le Bouillon ne sait pas viser. La tartine va s'écraser sur la vitre du bureau du directeur. Celui-ci ouvre la fenêtre, furieux.

– Qui a fait ça ?

– Euh... excusez-moi, monsieur le directeur... j'ai raté ma cible, dit le Bouillon, penaud.

Le photographe en profite pour ranger son matériel et remonter sur son vélo cabossé.

– J'en ai assez de vous et de vos garnements. Je m'en vais !

Et il repart, en pédalant en zigzag.

– En fait, je crois qu'il n'y aura pas de photo de classe aujourd'hui ! lâche le Bouillon, gêné.

Les enfants regagnent leur classe en silence.

– C'est Papa qui va être déçu, soupire Nicolas. Lui qui dit qu'une photo de classe, c'est tellement important...

– Et si on la faisait chez moi, la photo ? propose Geoffroy. En plus, l'appareil de mon père est beaucoup mieux.

– Bonne idée ! s'exclame Rufus. On peut

même demander à Louisette et à Marie-Edwige de venir : on aura toute la bande !

Un peu plus tard, tout le monde se retrouve donc chez Geoffroy : Rufus a apporté le képi de son papa gendarme, Eudes ses gants de boxe, Alceste ses tartines et Nicolas... son costume de pingouin ! Même la maîtresse et le Bouillon sont présents.

Albert, le majordome, va faire sortir le petit oiseau.

Soudain, Alceste s'écrie :

– Attends, Nicolas. T'as une poussière, là !

Et, avec ses doigts pleins de confiture, il frotte le costume de Nicolas.

Au final, sur sa photo de classe, Nicolas n'est pas aussi impeccable que le voulait son papa. Mais, au moins, quand il sera grand, il pourra se souvenir de la tête de tous ses copains.

À bien y réfléchir, le papa de Nicolas avait peut-être raison : les photos de classe, c'est drôlement chouette !

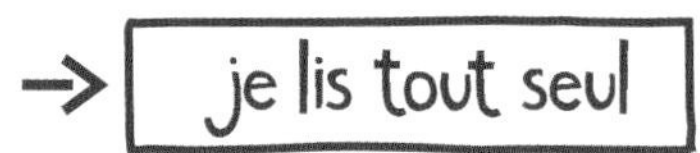

Pour les jeunes apprentis lecteurs
Niveau 2

n° 2 *Même pas peur!*

n° 3 *Les filles, c'est drôlement compliqué!*

n° 4 *Papa m'offre un vélo*

Retrouve le Petit Nicolas sur le site www.petitnicolas.com